Alexandre   TCHEREPNINE **DISCARD**

SUITE GEORGIENNE

pour

PIANO à quatre mains

EDITIONS MAX ESCHIG

48 rue de Rome.75008 Paris

Imprimé en France

Alexandre   TCHEREPNINE

SUITE GEORGIENNE

pour

PIANO à quatre mains

EDITIONS MAX ESCHIG
48 rue de Rome.75008 Paris

Imprimé en France

SUITE GEORGIENNE

Piano à 4 mains

ALEXANDRE TCHEREPNINE
Op. 57

1

Ouverture

M.E. 6674

2

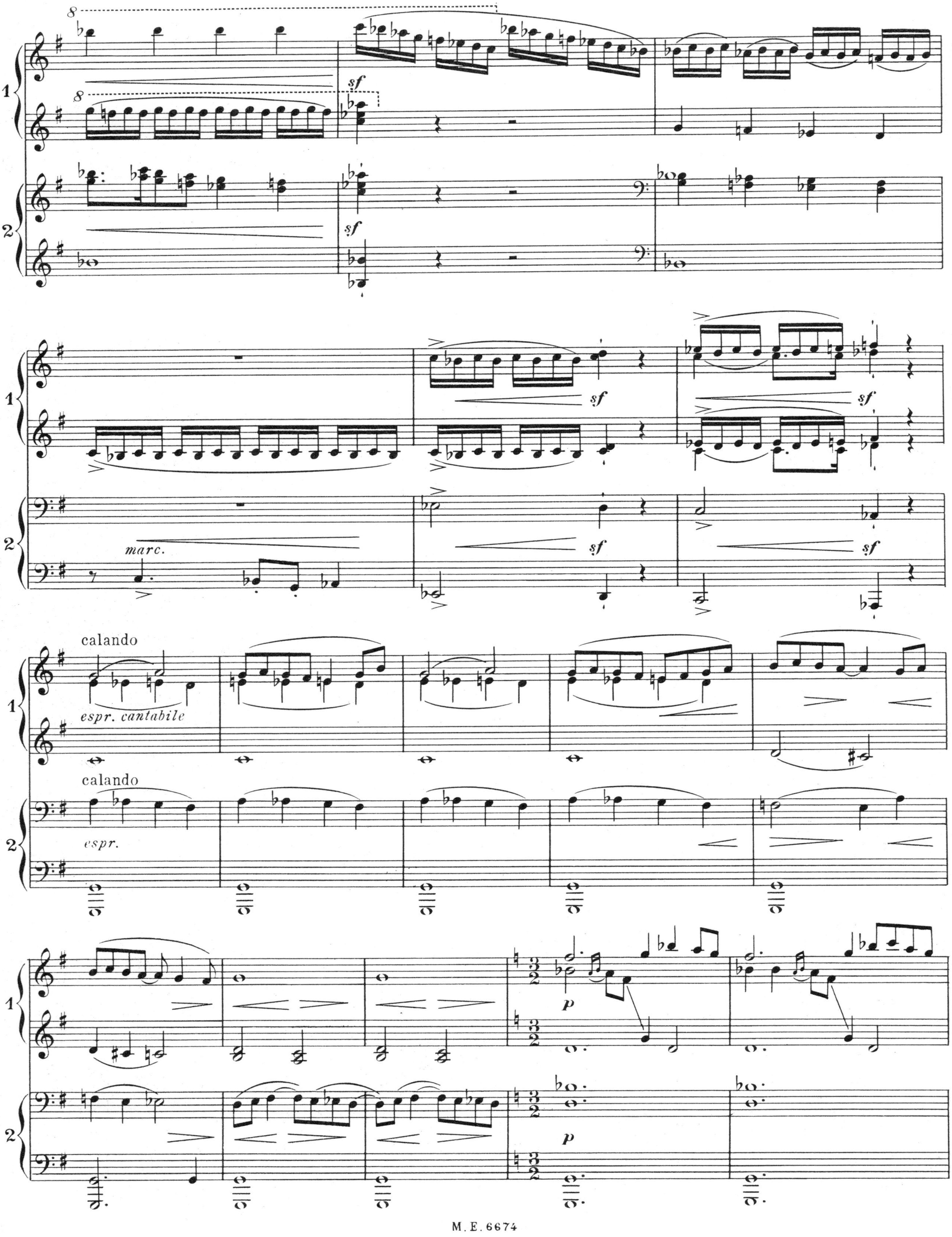
1
2
sf
marc.
calando
espr. cantabile
espr.
p

2
Dialogue

3

Chant géorgien
(Allaverdhi)

4

Prière de Shamil

18

M E. 6674

20

M.E. 6674

ŒUVRES DE Marcel MIHALOVICI

PIANO

CINQ BAGATELLES OP. 37 (1934)

1. Chanson
2. Étude
3. Romance
4. Toccata
5. Nocturne

QUATRE CAPRICES OP. 29 (1928)

CHINDIA Danse populaire roumaine OP. 28 (1929)

extrait de l'album Treizes Danses modernes pour piano

UN DANSEUR ROUMAIN (1937)

extrait de l'album Parc d'Attraction Expo 1937

KARAGUEUZ ballet en un acte OP. 23 (1926)

(réduction pour piano) argument de Michel Larionow

MUSIQUE DE CHAMBRE

CONCERTO « QUASI UNA FANTASIA » OP. 33 pour violon et orchestre (1930)

Partie de violon solo : en vente

ELEGIE II OP. 114 pour violon et piano (1984)

MIROIR DES SONGES OP. 112 pour flûte et piano (1981)

QUATUOR N°2 OP. 31 pour 2 violons, alto, violoncelle (1930-31)

Partition de poche in-16 et Parties : en vente

SONATINE OP. 13 pour hautbois et piano (1923-24)

TORSE méditation pour violon seul OP. 113 (1981)

TRIO OP. 30 pour violon, alto, violoncelle (1930)

Partition de poche in-16 et Parties : en vente

CHANT ET PIANO

CHANSONS ET JEUX OP. 18 (1924)

1. Noël
2. Billet d'amour
3. Paparoudes
4. Papillon

L'INTRANSIGEANT PLUTON opéra en un acte OP. 27 (1928)

livret de J.-F. Regnard
Partition chant et piano

MUSIQUE SYMPHONIQUE

Durée

CHINDIA danse populaire roumaine pour radio-orchestre OP. 28 (1929) . . . . (4')

flûte-petite flûte-hautbois-cor anglais-clarinette en la, clarinette basse (ou 2e basson), basson, 2 trompettes, trombone, tuba (ou 2 contre-basses), piano
matériel d'orchestre : en vente

CONCERTO « Quasi una fantasia » OP. 33 pour violon et orchestre (1930) . . . . (18')

2/2/2/2 -0/2/1/1 - piano, violoncelle, contrebasse
Partition et matériel d'orchestre : en location
Partition de poche in -16 : en vente

CORTÈGE DES DIVINITÉS INFERNALES
pour orchestre extrait de l'opéra L'INTRANSIGEANT PLUTON (1928) . . . . (7')

3/3/2/3/ - 4/2/3/1 - perc. timb. piano, cordes
Partition et matériel d'orchestre : en location

DIVERTISSEMENT OP. 38 pour petit orchest. (1934) . (12')

1/1/1/1 - 0/2/1/0 - perc. glock. xylo. piano et cordes
Partition et matériel d'orchestre : en location
Partition de poche in-16 : en vente

FANTAISIE OP. 26 pour orchestre (1927) . . . . (12')

3/3/3/3 - 4/4/3/1 perc. timb. cel. glock. 2 harpes piano cordes
Partition et matériel d'orchestre : en location

KARAGUEUZ suite de ballet OP. 23A (1926) . . . . . . (16')

1/1/1/1 - 1/1/1/0 - piano, cordes
Partition et matériel d'orchestre : en location

PRÉLUDE ET INVENTION OP. 42 pour orchestre à cordes (1937) . . . . (13')

Partition et matériel d'orchestre : en location
Partition de poche in-16 : en vente

SYMPHONIES POUR LE TEMPS PRÉSENT OP. 48 (1943-44) . . . . (19')

2/3/2/3 - 4/2/3/1 - perc. timb. cordes
Partition et matériel d'orchestre : en location
Partition de poche in-16 : en vente

ÉDITIONS MAX ESCHIG
48, Rue de Rome PARIS (8e)

ALBENIZ I.
Ajulejos ....
La Vega ....
Zortzico ....

AURIC G.
Adieu New-York ....
3 Impromptus ....
9 pièces brèves ....

BACHELET A.
Berceuse ....
Humoresque ....

CASADESUS R.
24 préludes (4 vol.) :
Cahiers 1, 2, 3 ....
Cahier 4 ....

CIMAROSA D.
32 sonates recueillies par F. Boghen (3 vol.) :
1 et 2 ....
3 ....

DEBUSSY C.
Nocturne ....
Romance ....

DE FALLA M.
Concerto ....
Deux danses espagnoles (de la Vie Brève), chaque ....
Homenaje ....
7 Chansons populaires espagnoles (transcrites par l'auteur) ......
Nuits dans les Jardins d'Espagne ..

GROVLEZ G.
Valse caprice ....

HALFFTER E.
Danse de la Gitane ....
Danse de la Pastora ....
Sonata ....

HARSANYI T.
Cinq préludes brefs ....

HONEGGER A.
Sept pièces brèves ....

LAZARE LEVY.
Six études ....
Vingt préludes (2 vol.), chaque ...
Sarabande ....

MARTELLI H.
Cinq danses..................
Suite ....
Sonatine ....

MIHALOVICI M.
Quatre caprices ....

MILHAUD D.
Le bœuf sur le toit (4 ms) ....
Caramel mou ....
La création du Monde (4 ms) ....
Première suite symphonique (4 ms)
Printemps (1er et 2e cahiers) :
1er cahier ....
2e cahier ....
Saudades do Brazil (2 vol.), chaque
Tango des Fratellini ....
Enfantines (4 ms) ....

MOMPOU F.
Charmes ....
Dialogues ....
Trois variations ....

NIN J.
Chaîne de valses ....
Danse ibérienne ....
2e danse ibérienne ....
Danse andalouse ....
Danse murcienne ....
Message à Debussy ....
1830 ....
Seize sonates anciennes (recueillies et doigtées par l'auteur) ......
Dix-sept pièces et sonates anciennes (recueillies et doigtées par l'auteur) ....

PEDRELL C.
A orillas del Duero ....

POULENC F.
Valse ....
Intermezzo ....
Mélancolie ....

RAVEL M.
Jeux d'eau ....
Miroirs :
1. Noctuelles ....
2. Oiseaux tristes ....
3. Une barque sur l'Océan ....
4. Alborada del gracioso ......
5. La vallée des cloches ......
En recueil
Pavane pour une infante défunte ..

SATIE E.
Aperçus désagréables (4 ms) .....
Belle excentrique ....
Chapitres tournés en tous sens ...
Croquis et agaceries d'un gros bonhomme en bois ....
Descriptions automatiques ....
Embryons desséchés ....
Enfantillages pittoresques ....
Menus propos enfantins ....
Heures séculaires et instantanées..
Peccadilles importunes ....
Premier menuet ....
4e nocturne ....
5e nocturne ....
Rêverie ....
Trois petites pièces montées ......
Véritables préludes flasques (pour un chien) ....
Vieux sequins et vieilles cuirasses.

SCHMITT Florent
Petites musiques ....
Sur cinq notes (4 ms).............

SZYMANOWSKI K.
Deux mazurkas ....

TANSMAN A.
Arabesques ....
Cinq Impressions ....
Cinq Impromptus ....
Intermezzi (2 vol.) chaque ....
Deux pièces ....
Mazurkas (2 vol.), chaque ......
Novelettes, chaque ....
Petite suite ....
Quatre danses polonaises ....
Quatre préludes ....
Trois préludes ....
Trois préludes en forme de blues ..
Tempo Americano ....
Tour du monde en miniature ....

TCHEREPNINE A.
Neuf inventions ....

TURINA J.
Coins de Séville ....
Séville ....
Sonate romantique ....

VILLA LOBOS H.
Prole do Bébé N° 2 (voir catalogue spécial).
Francette et Pia (voir catalogue spécial).

WIENER J.
Sonatine Syncopée ....
Concerto Franco-Américain 2 pianos
Sonate ....
2e Sonatine ....

TROIS ALBUMS

1. **ALBUM DES SIX.**

   Auric G. — Prélude.
   Durey L. — Romance sans paroles.
   Honegger A. — Sarabande.
   Milhaud D. — Mazurka.
   Poulenc F. — Valse.
   Tailleferre G. — Pastorale.
   1 volume

2. **PARC D'ATTRACTIONS.**

   Halffter E. — L'Espagnolade.
   Harsanyi T. — Le Tourbillon mécanique.
   Honegger A. — Scenic-Railway.
   Martinu B — Le Train hanté.
   Mihalovici M. — Un danseur roumain.
   Mompou F. — Souvenirs de l'Exposition.
   Rieti V. — La Danseuse aux lions.
   Tansman A. — Le Géant.
   Tcherepnine A. — Autour des montagnes russes.
   1 volume

3. **TREIZE DANSES.**

   Beck C. — Danse.
   Delannoy M. — Rigaudon.
   Ferroud P.-O. — The Bacchante blues.
   Harsanyi T. — Fox-trot.
   Larmanjat J. — Valse.
   Lopatnikoff N. — Gavotte.
   Martinu B. — La Danse.
   Migot G. — La Sègue.
   Mihalovici M. — Chindia.
   Rosenthal M. — Valse des pêcheurs à ligne.
   Schulhoff E. — Boston.
   Tansman A. — Burlesque.
   Wiener J. — Rêve.
   1 volume